# Un día en La Habana

## UN DÍA, UNA CIUDAD, UNA HISTORIA

### ERNESTO RODRÍGUEZ

difusión

Colección *Un día en...*

# Autor
Ernesto Rodríguez

**Coordinación editorial**
Pablo Garrido

**Redacción**
Gema Ballesteros

**Documentación**
Carolina Domínguez

**Corrección ortotipográfica**
Carmen Aranda

**Diseño y maquetación**
Oriol Frias

**Traducción**
BCN Traducciones

© Ernesto Rodríguez y Difusión, Centro de Investigación y Publicaciones de Idiomas, Barcelona 2016
**ISBN:** 978-84-16657-43-8
Impreso en España por Comgrafic

C/ Trafalgar, 10, entlo. 1ª
08010 Barcelona
Tel. (+34) 93 268 03 00
Fax (+34) 93 310 33 40
editorial@difusion.com

**www.difusion.com**

# Un día en La Habana

## UN DÍA, UNA CIUDAD, UNA HISTORIA

## ÍNDICE

¡Comparte tus fotos y vídeos de la ciudad!

## #undiaenlahabana

Audios y soluciones de las actividades en
**difusion.com/lahabana.zip**

# Diccionario visual Capítulo 1

Copa

Despertador

Persiana

Camisa

Vaqueros

Ordenador portátil

Patatas fritas

**Libreta**

**Revista**

**Ropa**

**Folletos**

**Vaso de plástico**

**Huracán**

**Botella**

**Mochila**

**Zapatillas deportivas**

# CAPÍTULO 1

El despertador suena a las ocho en punto de la mañana. Walter se despierta, apaga el despertador y se levanta de la cama. Se acerca a la ventana de la habitación, sube la persiana y mira el sol de esa mañana de diciembre en La Habana.

Desde su habitación puede ver la piscina del hotel. En la terraza del bar, junto a la piscina[1], hay dos mujeres y un hombre sentados a una mesa. Sobre la mesa hay tres copas y una bolsa pequeña de patatas fritas. En el césped[2], junto a la piscina, hay un pequeño grupo de niños jugando con una pelota. Walter sabe que en unas horas la piscina va a estar llena de turistas y que él no va a ser uno de ellos. Hace cinco días que está en La Habana y todavía no ha tenido tiempo para usar la piscina.

Walter mira su habitación: sobre la mesita de noche está su ordenador portátil y hay una pequeña montaña de papeles desordenados[3]. Por el suelo hay folletos, libretas, ropa, vasos de plástico y una botella de agua medio vacía[4]. Cada mañana el mismo escenario[5]: parece que ha pasado un huracán por su habitación.

Cada noche Walter tiene que trabajar hasta muy tarde. Está escribiendo un reportaje[6] sobre el Festival Internacional del Nuevo Cine Latinoamericano para una revista de su estado, Florida, y tiene mucho trabajo que hacer: tiene que escribir la crónica[7], ver las películas que están programadas en el festival y escribir sus críticas, preparar las entrevistas[8] a los directores y a los actores que pasan por el festival, hacer fotografías…

Fotografías. Ese es el problema. En todos estos días no ha conseguido una buena fotografía para encabezar[9] el reportaje. Walter quiere hacer una foto para mostrar la esencia[10] de La Habana porque, en realidad, no quiere escribir solo sobre un festival de cine, también quiere escribir sobre la ciudad.

El problema es que casi no ha tenido tiempo para ver La Habana. Este reportaje es muy importante para él: va a publicar en una de las revistas más importantes de Florida. Hace meses que lucha[11] por tener esta oportunidad. Quiere escribir el mejor texto posible, pero, cada vez que lee lo que ha escrito, piensa que su reportaje es muy aburrido[12] y que La Habana no aparece por ningún lado. Walter necesita pasear por sus calles, escuchar su música…

Música. Cada noche, Walter oye la misma música desde su habitación del hotel. Es una melodía que no ha escuchado nunca

### Festival Internacional del Nuevo Cine Latinoamericano

Este festival se celebra en La Habana cada mes de diciembre. Nacido en 1919, actualmente está considerado como uno de los más importantes del cine latinoamericano.
Su objetivo es potenciar la identidad cultural latinoamericana y caribeña.

antes de venir a La Habana. La toca una orquesta que, por las noches, anima[13] el ambiente en el bar de la piscina del hotel. Walter quiere saber qué canción[14] es. Cada noche piensa en bajar a la piscina y preguntarle a los músicos de la orquesta, pero no tiene tiempo, tiene mucho que escribir: artículos, críticas, entrevistas…

Walter entra en el cuarto de baño y se ducha. Hoy, como siempre, tiene muchas cosas que hacer: por la mañana tiene que ver dos películas de dos jóvenes directores peruanos, luego tiene que ir a una conferencia sobre las nuevas tendencias artísticas en el arte documental boliviano, después tiene que preparar una entrevista con una actriz venezolana que ha firmado un contrato con una productora norteamericana y, por la tarde, tiene que ver tres películas más y escribir sus críticas. Seguramente no va a tener tiempo de descansar hasta las nueve o las diez de la noche. Así es imposible hablar de la ciudad, porque no la conoce. No tiene tiempo para pasear por ella. Y así es imposible encontrar una buena foto.

Después de la ducha, Walter se pone una camisa blanca, unos vaqueros y unas zapatillas deportivas de color azul. Guarda en una mochila su libreta, sus bolígrafos y su cámara fotográfica. Walter piensa en la posibilidad de no ir al festival, pero después recuerda que la revista lo ha contratado específicamente para eso. Es un auténtico dilema. Su yo periodista[15] le dice que tiene que ir al festival, ver las películas, escribir las críticas…. Su yo turista le dice que está escribiendo un texto aburrido: está escribiendo sobre películas que nadie en su ciudad va a ver. Está seguro de eso. Walter no conoce a ninguna persona en Florida interesada en las nuevas tendencias artísticas en el arte documental boliviano. Pero le pagan para escribir sobre ello. No importa si es más aburrido que contar los segundos de un día.

Antes de salir de la habitación, Walter la observa con atención. Mira los vasos de plástico y la botella de agua por el suelo, la ropa por todos lados, los papeles rotos y arrugados[16] encima de la cama deshecha[17]. Cada noche, después de volver del Festival, Walter viene hasta aquí, pide una o dos copas de ron y sube a su habitación para trabajar.

Cada noche se pelea con sus fantasmas[18], escribiendo un reportaje que ha luchado mucho por conseguir. Walter quiere hacerlo bien, es su gran oportunidad. Está trabajando muy duro en sus artículos, pero piensa que hay algo que está haciendo mal.

Son las 8:45 h de la mañana en el restaurante del hotel. La camarera lo saluda.

—Buenos días.

—Buenos días —dice Walter.

—¿Qué va a tomar?

—Un café, por favor.

—Ahora mismo.

La camarera se va a la barra. Walter, sentado en su mesa, abre la mochila y saca toda la documentación que tiene preparada para esta jornada. Intenta concentrarse en los papeles que ha dejado sobre la mesa, pero su mente está en la música que cada noche entra por la ventana de la habitación. Se imagina a sí mismo paseando por las calles de esa ciudad que todavía no conoce, escuchando esa canción. ¿Tiene letra[19] esa canción? ¿Es una canción con una letra triste[20] o alegre[21]?

"Quizás hoy es un buen día para cambiar de idea", piensa Walter. Quizás hoy es un buen día para conocer La Habana.

# ACTIVIDADES
## CAPÍTULO 1

Esta es la habitación de hotel de Walter. Completa las frases con las palabras adecuadas.

**izquierda | bolsa de patatas | vasos de plástico | hay | vaqueros**

**verde | unas | al lado | agenda | hay | sobre | tres**

_____la cama_____dos camisetas. Una es gris y la otra es_____ .

A la_____de la cama hay una mesita de noche. Sobre ella hay

una_____ .

La bolsa de patatas está_____ de dos_____ .

En el suelo_____una_____ ,_____vasos de plástico,_____

zapatillas y unos pantalones_____.

Esta es la agenda de Walter para esta mañana. Léela
y responde a las preguntas.

---

**10:00 (Cine Acapulco):**
"Las flores que cantan"
(Dirigida por Mario Quispe)

Un drama musical que cuenta la historia de Onésima, una mujer que quiere rehacer su vida después de un divorcio. Por esta razón, viaja hasta Cuba. Allí conoce a un soldado que se llama Marcus y se enamora de él. Juntos, viajan por toda el continente latinoamericano.

**13:00 (Cine Acapulco):**
"Olvidar, la ruta del enésimo cretino"
(Dirigida por Concha Espinoza)

Esta película de ciencia ficción cuenta la historia del policía Marcos Martial, que un día recibe la visita de su hijo desde el futuro. El hijo, que se llama Marcus, es soldado y quiere asesinar al futuro asesino de su padre. Marcos y Marcus hablan sobre ello durante dos horas.

---

|  | *Las flores que cantan* | *Olvidar, la ruta del enésimo cretino* |
|---|---|---|
| ¿De qué género es? |  |  |
| ¿Cuenta la historia de un drama familiar? |  |  |
| ¿Hay algún viaje? ¿Puedes explicar de qué tipo? |  |  |
| ¿Qué película crees que es más interesante? ¿Por qué? |  |  |

# La Habana
## LA CIUDAD

Es la capital y la ciudad más importante de la República de Cuba. La Habana tiene un valioso patrimonio multicultural: en ella han convivido durante siglos personas de origen europeo y africano, principalmente.

# APUNTES
## CULTURALES

El centro histórico de La Habana (Patrimonio de la Humanidad desde 1982) es uno de los conjuntos arquitectónicos más destacables de América Latina. El Castillo del Morro, La Plaza de la Revolución, la Catedral de La Habana o el Malecón son algunas de sus principales atracciones turísticas.

La Habana es, quizás, el mayor reclamo turístico de Cuba. En el año 2015, más de 1,6 millones de turistas visitaron la ciudad, del total de 3,5 millones de extranjeros que han visitado el país.

Está en un lugar privilegiado, frente al mar Caribe, por eso es uno de sus principales puertos. Por esta misma razón, a lo largo de la historia muchos piratas han atacado el puerto de La Habana.

Las temperaturas medias en La Habana van de los 27° a los 31°. Pero la sensación de calor es mayor por la elevada humedad. La temporada de los ciclones comienza en septiembre y dura dos meses.

# Diccionario visual Capítulo 2

Sonrisa

Cementerio

Puerta

Pelo

Guitarra

Manos

Taburete

Micrófono

Labios

Vestido

Barra

Piano

Camiseta

Ojos

Pantalones
cortos

# CAPÍTULO 2

El recorrido[1] siempre es el mismo: Walter sale del hotel en la calle 21, camina hasta el final, gira a la derecha en la calle 24 y cruza la avenida 23, la calle 25 y la 27. Llega hasta el final de la calle 24 y continúa por la calle 18, a la derecha, junto a la Necrópolis de Cristóbal Colón. Alguna vez ha pensado en entrar, pero prefiere ver otros lugares de la ciudad antes que un cementerio.

Al llegar a la calle 26, gira a la izquierda y avanza[2] todo recto hasta el cine Acapulco. Parece un cine de los años cincuenta del siglo pasado, como los que salen en las viejas películas de su infancia[3]. Siempre que llega al Acapulco, Walter piensa que ese cine antiguo es como una fotografía de otra época[4], como muchas otras cosas de la ciudad.

La fotografía. ¡Maldita sea! Todavía no tiene una buena fotografía para su reportaje. Ha pensado en hacer una fotografía del

**Necrópolis de Cristóbal Colón**

Es el cementerio más grande del país (con más de 57 hectáreas). En él se pueden encontrar un gran número de esculturas y monumentos de gran valor estético. Ha sido declarado Monumento Nacional de Cuba.

viejo cine Acapulco, pero es solo un escenario. Necesita una historia. Ha visto muchas películas durante estos días. Ha visto muchas historias, pero siempre a través de una pantalla.

Como cada día, Walter hace el mismo recorrido y hace fotos sin parar. Normalmente, son fotos de las personas que se cruza por el camino. Cada noche, cuando revisa las fotografías, piensa en lo mismo: son buenas, son bonitos escenarios, pero... ¿cuál es la historia de estas fotografías? ¿Dónde está la esencia de La Habana en ellas?

Son más o menos las nueve y media de la mañana cuando Walter, que está haciendo el mismo recorrido de cada día hasta el cine, se detiene[5]. A poca distancia de él se oye esa canción que cada noche escucha desde la habitación del hotel. Otra vez esa música. La misma música de cada noche.

En este momento, Walter está en la esquina de la calle del cine Acapulco. El cine está a su derecha. El Walter periodista piensa que tiene que ignorar la música y girar a la derecha, pero el Walter escritor, el soñador[6], quiere ir hacia la izquierda, hacia la música.

Sí, escribir para la segunda revista más importante de Florida es una oportunidad, pero esa canción, en ese momento, también es una oportunidad. Walter gira a la izquierda.

A cada paso[7] que da, Walter está un paso más lejos de sus obligaciones profesionales. Cruza a la otra acera y avanza hasta el siguiente cruce. Gira a la derecha en esa calle. Cada vez puede oír mejor la música. Llega a la puerta de un bar. La música viene del otro lado de esa puerta. Walter tiene en sus manos la cámara, está preparado para encontrar la fotografía perfecta para su reportaje. Abre la puerta.

Cuando entra en el bar, Walter ve un pequeño escenario a la izquierda. Sobre él hay un hombre tocando un piano junto a una mujer que está tocando una guitarra. Delante del escenario hay unas cuantas sillas vacías. A la derecha hay una barra y, detrás, hay una chica mulata que mira a Walter con una gran sonrisa en la cara. Él ha visto esa sonrisa antes, pero no puede recordar dónde. Piensa que quizás la ha visto en alguna película. Piensa en que esa chica, con esa sonrisa, tiene cara de actriz. Walter quiere escribir sobre esa chica, quiere escribir sobre la canción que lo ha llevado hasta esa chica.

—¡Qué bolá! —dice ella.

—¿Perdón? —dice Walter. Se acerca hasta ella.

—¡Fotos no, hermano! —dice el pianista, desde el escenario— No estoy presentable.

—¿Eh? —Walter se da cuenta de que tiene la cámara de fotos en la mano. La sonrisa de la camarera lo ha confundido. Ella le dice:

—Están ensayando para el concierto de esta noche.

—¿Qué canción es? —pregunta Walter.

—¿Vas a tomar algo? —responde ella.

Walter deja la cámara sobre la barra y se sienta en un taburete, frente a la camarera.

—Sí... Ron.

—Enseguida —dice ella. La camarera coge una botella de una estantería.

Walter observa a los músicos. El hombre que ha dicho que no está presentable lleva una camiseta deportiva y unos pantalones cortos; la mujer lleva un vestido floreado[8], de color rojo y verde. No hay nadie delante del micrófono. La canción termina.

—¿Qué canción es? —pregunta Walter, otra vez.

La camarera no responde. Le sirve la copa de ron. Walter observa su piel tostada, y sus ojos grandes y negros, y su pelo rizado y largo sobre los hombros. Mientras le sirve la copa de ron, la camarera no sonríe. Walter contempla sus labios cerrados.

—*Murmullo* —dice ella, finalmente.

—Yo te he visto antes —responde Walter.

—Puede ser. Los turistas vienen mucho por acá. ¿De dónde eres?

—De Florida.

—¡Americano! Pues *welcome*, asere.

Walter se ríe. Ella también. Su sonrisa, otra vez: ¿dónde ha visto esa sonrisa antes? ¡Ya lo recuerda! La ha visto en el hotel.

—Tú trabajas en el hotel —dice Walter.

—¡Espera, ya sé! —dice ella—. Tú eres el que cada noche se toma un par de copas de ron en el restaurante y luego se va.

—Sí, buena memoria —responde él.

—Recuerdo las caras de las personas que beben solas —dice ella.

Walter le ofrece su mano.

—Me llamo Walter.

—Ivet —responde ella. Le estrecha la mano[9].

—¿También trabajas aquí, Ivet?

—No. Bueno… sí, un poco. Ayudo a una amiga. Hoy es un día especial.

—¿Por qué?

—Por el concierto de esta noche —responde ella.

Walter bebe un poco de ron. Se atraganta[10] y tose[11].

—Es un poco pronto para eso, ¿no? —pregunta Ivet.

—¡Es posible, sí! —ríe Walter—. Supongo que bebo porque estoy triste.

—¿Por qué?

—Porque tengo que escribir sobre las nuevas tendencias artísticas en el arte documental boliviano, y no quiero.

—¿Las nuevas tendencias de qué? Mi amor, ¿qué dices?

—Estoy cubriendo el festival de cine.

—Ah, ya sé. El festival…

Walter bebe otro trago de ron. Esta vez, es una sensación placentera[12] y dulce.

—¿La canción tiene letra? —pregunta él.

—¿Cuál?

—La canción que han tocado antes, *Murmullo*.

—Sí.

—¿Es una letra alegre o triste?

—Alegre.

—¿La puedes cantar? —dice Walter.

Ivet se ríe. Walter contempla[13] su sonrisa. Desea[14] escuchar la letra de esa canción en la voz de Ivet. Seguro que canta como los ángeles.

—¡No voy a cantar!

Walter sonríe, resignado.

—¿Cuánto es el ron?

—2 CUC.

Walter deja un billete con una imagen del parque Maceo sobre la barra y dice:

—Quédate la vuelta.

—Gracias —responde Ivet. Coge el billete y se apoya en la barra. —Así que las nuevas tendencias en el… ¿qué?

—En el arte documental boliviano —dice Walter.

—Apasionante[15].

—Necesito una historia. Una de verdad[16].

—Pues sal a la calle. En la calle hay muchas historias.

—¿Vienes conmigo? —pregunta él.

—Eres un hombre muy atrevido.

—Es por culpa del ron.

—No, yo me quedo aquí. Tengo que esperar a mi amiga.

—¿Cuando viene?

—Preguntas demasiado —dice Ivet.

Ivet se acuerda de Walter porque cada noche, cuando le pone su copa de ron, piensa que es un hombre atractivo. Ahora, en la barra del bar, le observa. Observa sus ojos verdes, su piel bronceada[17], su pelo revuelto[18], sus manos finas[19] de periodista.

—De acuerdo —dice Walter—. Espero verte esta noche en el hotel.

—Complicado. Esta noche no trabajo en el hotel.

—Ah, pues… En fin. Nos vemos.

—Walter se levanta de su taburete. Ivet le pregunta:

—¿Vas al festival?

—No. Voy a dar un paseo. Voy a buscar alguna historia.

Walter sale del bar con la mente nublada[20] por el ron y por Ivet. Ella lo observa hasta que se cierra la puerta. Permanece pensativa durante unos instantes: recuerda los ojos de aquel americano. Sus ojos mientras escucha la canción. Sus ojos verdes llenos de preguntas.

# ACTIVIDADES
# CAPÍTULO 2

**1**

**Lee el recorrido que hace Walter cada mañana desde su hotel hasta el cine Acapulco y dibújalo en el mapa.**

Walter sale del hotel en la calle 21 y camina hasta el final de la calle, donde se cruza con la calle 24. Gira a la derecha en la calle 24 y cruza la avenida 23, la calle 25 y la 27. Llega hasta el final de la calle 24. Continúa por la calle 18 a la derecha, junto a la Necrópolis de Cristóbal Colón. Alguna vez ha pensado en entrar, pero prefiere ver otros lugares de la ciudad antes que un cementerio. Al llegar a la calle 26, gira a la izquierda y avanza todo recto hasta el cine.

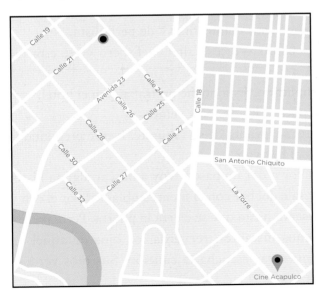

En la sopa de letras, busca 8 elementos que se pueden encontrar en la descripción del bar de la página 18.

| E | T | U | J | K | L | O | M | R | E | S | D | B | T | X |
|---|---|---|---|---|---|---|---|---|---|---|---|---|---|---|
| W | C | T | C | V | B | G | Y | R | I | F | T | U | J | W |
| B | A | R | R | A | E | T | G | H | J | L | C | E | D | P |
| R | M | W | E | G | U | F | S | I | Ñ | V | K | P | Ñ | I |
| F | A | F | J | H | M | G | H | L | W | E | M | E | S | A |
| Y | R | D | H | Y | N | E | R | Z | Q | T | L | P | S | N |
| H | E | R | Y | T | B | S | I | L | L | A | S | S | L | O |
| U | R | Y | P | M | V | C | R | S | W | B | A | O | O | T |
| N | A | J | L | J | X | E | C | E | A | U | O | M | I | J |
| G | T | H | D | D | S | N | N | O | L | R | I | I | T | O |
| V | H | B | C | F | D | A | M | L | O | E | D | C | R | A |
| D | Y | X | S | E | K | R | S | P | P | T | A | R | U | T |
| C | K | S | W | C | H | I | A | T | Y | E | L | O | G | A |
| X | O | Q | Y | S | T | O | D | T | T | O | I | F | T | M |
| S | P | A | K | Q | E | Y | A | O | N | D | P | O | E | A |
| T | S | O | T | L | L | T | S | A | M | E | A | N | F | D |
| G | U | I | T | A | R | R | A | C | C | L | P | O | E | O |

# Buena Vista Social Club
## LA MÚSICA CUBANA

Es el nombre de un club social muy importante de La Habana durante los años de la llamada "Edad de Oro de la música cubana", entre la década de 1930 y la de 1950.

# APUNTES
## CULTURALES

Durante aquellos años, todos los grandes artistas de la música tradicional cubana pasan por el escenario del Buena Vista Social Club. El éxito del club termina con la revolución socialista cubana. En esos momentos, muchos lugares exclusivos y lujosos, como el Buena Vista Social Club, tienen que cerrar sus puertas.

En la década de 1990, el guitarrista Ry Cooder comienza el proyecto de reunir a los músicos del Buena Vista Social Club, entre los que se encuentra Compay Segundo.

Ese proyecto se convierte en el disco *Buena Vista Social Club*. El álbum se publica en 1997 y a finales de 1998 ya se habían vendido más de 8 millones de copias en todo el mundo.

Gracias al éxito de este proyecto, algunos de los músicos del Buena Vista Social Club han seguido grabando discos, como Omara Portuondo, quien en 2009 ganó un Grammy al Mejor Álbum Tropical Contemporáneo.

# Diccionario visual Capítulo 3

Chica

Cantante

Escultura

Fantasmas

Tumba

Cara

Chico

Coche

Banco

Gato

Puro

Gafas de sol

# CAPÍTULO 3

La Necrópolis de Cristóbal Colón es una pequeña ciudad de fantasmas, una colección de historias que han terminado. Walter ha llegado hasta el cementerio después de hablar con Ivet en el bar. No ha ido al cine Acapulco. No quiere ver la película de ningún joven director peruano, ni le interesa el arte documental boliviano. Ha caminado hasta la Necrópolis sin pensar. Bueno, ha pensado en Ivet: en sus ojos negros, en su bonita sonrisa…

Cuando ha visto que está dentro de la Necrópolis, Walter se ha sorprendido. Parece que su subconsciente quiere conocer ese lugar lleno de historias pasadas. Walter pasea entre las tumbas. La Necrópolis es un auténtico museo: está lleno de preciosas esculturas y panteones[1]. Una de las esculturas es un ángel sentado junto a un león. Parece que los dos están durmiendo una siesta eterna[2].

Delante de la figura hay dos personas sentadas en una posición muy similar: una chica se apoya[3] en un chico. Los dos parecen tristes. Quizás están recordando a una de las personas de su pasado, una que duerme su sueño eterno en ese mismo sitio. Walter observa la similitud entre la escultura y la joven pareja que está sentada delante. Él está a unos diez metros de esa escena, y piensa que ahí hay una historia.

Walter mete la mano en su mochila, pero no encuentra la cámara de fotos.

Un recuerdo aparece súbitamente[4]: Walter ha dejado la cámara de fotos sobre la barra del bar de Ivet. Tiene que correr para recuperar su cámara. Y para volver a ver a Ivet.

Mientras camina hacia el bar, Walter recuerda todo lo que ha visto en la Necrópolis. Le gusta evocar[5] las fotos que nunca ha hecho. Le gusta recordar.

Ese es uno de sus grandes dilemas[6]: siempre que Walter hace una foto, tiene la sensación de que pierde un recuerdo. Recordar es hacer el esfuerzo mental de reconstruir una imagen. Recordar es cerrar los ojos y dibujar[7] con tu propia imaginación las caras de tu pasado. Recordar es volver a sentir lo que has sentido hace mucho tiempo.

Con una fotografía, Walter no necesita hacer ningún esfuerzo mental. La fotografía te recuerda el momento: esa es una diferencia muy importante. Por eso, Walter piensa que fotografiar un momento es alejarse[8] de ese momento, como un espectador[9] que mira una película. Como todas las películas que ha visto durante este festival de cine: puede recordar las historias, pero no puede sentirlas.

Casi una hora después de salir del bar, Walter vuelve a entrar. Los músicos ya no están en el escenario. Ivet ya no está en la barra. En su lugar, hay una muchacha con una cinta[10] roja en el pelo. Tiene una cara divertida, cara de buena persona.

—Hola... —dice Walter.

—*Good morning, mister.* ¿Qué bolá? —responde la camarera.

—Hola, me llamo Walter... He estado en este bar antes y he hablado con Ivet. He olvidado mi cámara de fotos aquí...

—Ah, sí, cariño. Aquí está —dice la camarera mientras saca la cámara de detrás de la barra.

Walter se acerca a la barra y la camarera le da la cámara.

—Gracias —dice Walter—. ¿Cómo puedo agradecértelo[11]?

—A mí no me tienes que agradecer nada. Ivet te ha guardado[12] la cámara.

—¿Dónde está?

—Se ha ido. Hace un rato[13].

—¿Dónde puedo encontrarla?

—Ay, cariño, no lo sé.

—Me ha dicho que esta noche no va a estar en el hotel. Yo… yo estoy en el hotel donde ella trabaja.

—Esta noche no trabaja, imposible. Hoy tenemos concierto.

—¿Va a estar aquí esta noche? —pregunta Walter.

—Eso espero. Ella es la cantante —responde la camarera.

"¡Por supuesto!" piensa Walter. En ese momento, el periodista americano piensa que esa va a ser la foto de su reportaje: Ivet, en el escenario de ese bar, cantando esa canción, *Murmullo*. Una canción con una letra alegre.

## El Vedado y Centro Habana

El Vedado es el centro político y administrativo de La Habana. Junto con la Habana Vieja, es uno de los ejes de la vida cultural de la ciudad. Hay muchas galerías de arte y museos. Centro Habana está en la parte norte y central de la ciudad. En este barrio se pueden encontrar algunos lugares emblemáticos como el Museo de la Revolución.

Tiene que encontrar a Ivet. Walter no quiere esperar a esa noche para volver a verla. La camarera le ha dicho que no sabe dónde puede encontrarla. Quizás, lo que Walter necesita es salir a la calle y buscarla y rezar[14] por encontrarla lo antes posible. Ella es la historia que él quiere vivir.

Son las cuatro y media de la tarde. Hace más de cinco horas que Walter ha recuperado su cámara fotográfica. Ha paseado por el Malecón, se ha perdido[15] varias veces por las calles numeradas del Vedado. A Walter no le gustan los números. No le gustan las calles sin nombre. No le gusta caminar de la calle 4 a la calle 12, porque en esos números no hay ninguna historia. Una calle es el escenario de millones de pequeñas historias. Esas historias que construyen esta loca[16] novela[17] que se llama Universo. Todas las calles tienen historia y, por eso, Walter piensa que todas las calles tienen que tener un nombre.

## El Malecón

Es una avenida que recorre la costa de La Habana. Además de detener el agua del mar Caribe, es una de las atracciones turísticas de la ciudad. Por las noches, muchos habaneros y turistas vienen al Malecón para tocar música y beber, mientras esperan el amanecer.

Durante las últimas horas, la cámara fotográfica de Walter ha capturado varios momentos interesantes: una chica y un chico están sentados en el malecón. Ella mira al horizonte[18] pensativa[19] mientras él le cuenta alguna historia. Parece preocupado[20] (¿problemas en el trabajo?). En otra fotografía, una señora mayor con la mirada traviesa[21] fuma un puro. Walter ha pensado en las innumerables historias que puede contar esa señora, ha pensado en los miles de recuerdos de su mirada. En otro momento capturado por Walter, hay un viejo coche de color amarillo aparcado en la calle. Sobre el capó[22] del coche hay un gato negro con gafas de sol. ¿Cuál es esa historia?

Walter ha hecho muchas fotos buenas.

En este momento, a las cinco y media de la tarde, Walter mira todas esas fotos. Está sentado en un banco, al lado de la estatua de John Lennon.

—Son muy buenas fotos, John —dice Walter.

La estatua de John Lennon no responde.

# El parque John Lennon

En este parque hay, desde la década de 1990, una estatua a tamaño natural de John Lennon sentado en un banco. Es normal encontrar a gente en ese banco, hablando con John. Es un hombre que sabe escuchar.

—Cualquiera de estas fotos puede servir para mi reportaje, ¿no crees? —pregunta Walter.

—...

—Sí. Estoy de acuerdo contigo, John —dice Walter. —Son historias de otras personas. En ninguna de estas fotos aparece mi historia.

—...

—Exacto, John —dice Walter. —¡Tengo que encontrarla! *Bye*!

# ACTIVIDADES
## CAPÍTULO 3

**1**

Estas son algunas de las fotografías que ha hecho Walter durante su día en La Habana. Hay, eso sí, una que no aparece en la historia. Identifícala y descríbela.

--------------------------------------------------

--------------------------------------------------

**2**

**¿Cómo crees que va a continuar la historia de Walter?**

|  | Sí | No |
|---|---|---|
| Walter se pierde por la ciudad y vuelve al hotel. | | |
| Walter encuentra a Ivet por la calle. | | |
| Ivet canta la canción *Murmullo*. | | |
| Ivet no puede cantar esa noche porque tiene un accidente. | | |
| Walter se sube a un coche con un desconocido. | | |
| Ivet y Walter se encuentran en el Malecón. | | |
| Walter e Ivet se besan. | | |

Estas son las preguntas que Walter ha preparado para sus entrevistas. Lee las fichas de las personas entrevistadas e indica a quién va dirigida cada pregunta, a Mario (M) o a Lucrecia (L).

**MARIO QUISPE:**
Director peruano. 34 años. Ha dirigido dos largometrajes ("Las flores que cantan" y "Jaguar") y cuatro cortometrajes. Con el largometraje "Jaguar" ha ganado varios festivales de cine en Perú.

**LUCRECIA GÁLVEZ:**
Actriz venezolana. 32 años. Ha actuado en más de 20 películas en todo el continente latinoamericano. Va a aparecer en una película con Antonio Banderas.

☐ ¿Qué ha significado para ti trabajar con los mejores actores de Latinoamérica?

☐ ¿Cuál es tu próximo proyecto detrás de la cámara?

☐ ¿Cuál es tu próximo proyecto delante de la cámara?

☐ ¿Ha sido difícil entrar en la piel de tu último personaje?

☐ ¿Ha sido difícil escribir el guión de tu última película?

☐ ¿Qué sientes al dar tu salto a la fama internacional?

☐ ¿Cuál es el tema que quieres tratar en tu siguiente película?

# ¿Dónde comemos?

## OPCIONES DELICIOSAS

Por supuesto, la ciudad está llena de restaurantes donde puedes encontrar la comida típica de Cuba, pero hay otras alternativas.

# APUNTES
## CULTURALES

Una de las mejores opciones para comer en La Habana son los paladares. Se trata de "restaurantes" pequeños ubicados en casas particulares. Muchos cubanos ofrecen un sitio en su mesa por menos dinero que los restaurantes clásicos. La oferta de platos cambia en los paladares según la época del año, igual que en nuestras casas.

La comida típica de Cuba se llama criolla, y es una mezcla entre la cocina española y la africana. En la gastronomía cubana es normal encontrar arroz, alubias, carne de cerdo y yuca.

La Habana está llena de pequeñas pizzerías, muchas de ellas son paladares. Hay una oferta enorme de pizzas, una de las mejores maneras de comer barato en la ciudad.

Los "agros" son los mercados de barrio. Algunos están ubicados en viejas joyas arquitectónicas. En los agros se puede comprar frutas, verduras y hortalizas para cocinar en tu lugar de residencia.

# Diccionario visual Capítulo 4

Descapotable

Barco

Cielo

Plaza

**Botón**

**Objetivo**

**Luna**

**Luz**

**Estrellas**

# CAPÍTULO 4

Historia. En la historia de Walter, son las siete de la tarde, y está en la calle O'Reilly. Ha paseado por la Habana Vieja, por sus calles con nombres propios[1]. Por esas calles llenas de historias. Historias. En la cámara fotográfica de Walter hay un universo de pequeñas historias. Historias que él no ha vivido. Walter está muy lejos del bar de Ivet. Está muy lejos de encontrar su historia.

Ivet es como esa canción, *Murmullo*. Una música que no se puede quitar de la cabeza[2]. Walter no ha pensado ni un segundo en el festival de cine. No se ha acordado[3] de las nuevas tendencias artísticas en el arte documental boliviano. Hoy ha sido su mejor día en La Habana, sin duda. Ha sido un día acompañado por el recuerdo de Ivet.

**La Habana Vieja**

Es la zona más antigua de La Habana. Pasear por sus calles es pasear por los diferentes momentos históricos de Cuba: puedes encontrar arquitectura de la época de la corona española y de las ocupaciones británica, francesa y estadounidense. Algunos de sus edificios más emblemáticos son la Catedral de La Habana, el Gran Teatro de La Habana o el Edificio Bacardí.

En ella empiezan y terminan todos sus pensamientos.

Historia. Walter piensa en la historia de Ivet. Imagina a Ivet cantando encima del escenario. Imagina su vestido y su peinado[4].

En este momento de la historia, Walter está de pie[5], en el centro de la plaza de Armas, recordando las fotos que nunca ha hecho de Ivet. En este momento de su historia, son las siete y media de la tarde. El cielo es de color naranja.

Ivet cruza la plaza corriendo de un lado a otro. Walter piensa que está delirando, pero ¿y si no está loco? ¿Y si es Ivet? Esa chica que cruza la plaza lleva el mismo vestido que él se ha imaginado. "Walter, estás loco, estás loco. ¡No puede ser Ivet! El concierto va a ser en la otra punta de la ciudad. No puede ser ella. ¿O sí?"

—¡Ivet! —grita Walter.

La chica se gira un momento. Walter ve que es ella, y la saluda[6], pero ella no ve a Walter y continúa con su carrera[7].

## La plaza de Armas

Es la plaza más antigua y una de las más bonitas de La Habana. Tiene este nombre desde el siglo XVI, cuando el gobernador colonial decide usar la plaza para realizar ejercicios militares. En esta plaza está el Museo de la Ciudad.

—¡Ivet! —grita Walter.

Pero Ivet ya ha salido de la plaza. Walter corre detrás de ella y sale de la plaza también. A unos metros de él, Ivet se ha subido a un taxi, ha cerrado la puerta y el taxi ha arrancado[8]. Walter intenta detener[9] a otro taxi, pero no lo consigue. Dos coches más pasan delante de él, pero no se detienen tampoco. Un hombre de unos treinta y cinco años se acerca a Walter, conduce un viejo descapotable azul.

—Asere, ¿qué bolá? —dice el amable señor.

—Hola... —responde Walter.

—Esto no es un *chevy*, pero corre igual —dice el señor.

—¿Cómo?

—¿Adónde quieres ir?

Walter no recuerda el número de la calle donde está el bar de Ivet. ¡Malditos números! ¡Los números no tienen historias! ¿Qué puede decirle al señor? ¡Una idea!

## "Asere, ¿qué bolá?"

Es una expresión coloquial muy utilizada en Cuba. "Asere" significa socio, hermano o amigo, y "¿qué bolá?" significa "¿cómo estás?". Es una expresión que utilizan tanto los jóvenes como los no tan jóvenes, y refleja el carácter amistoso de los cubanos.

—Al cine Acapulco —dice Walter.

—Sube —responde el hombre.

Walter se sube en el viejo descapotable azul.

Son las ocho de la tarde. Walter está en el descapotable azul. El hombre que lo lleva se llama Usnavy. Le ha dicho a Walter que se llama así por los barcos de la marina estadounidense. Es un hombre simpático que le ha aconsejado[10] no enamorarse de una cubana. Usnavy le ha dicho a Walter que las mujeres cubanas son complicadas.

—Pero es que esta chica me gusta mucho.

—Pues claro que te gusta. Las cubanas le gustan a todo el mundo.

El coche se detiene delante de las puertas del cine Acapulco. Walter le paga a Usnavy y sale del descapotable. Mira el cine y recuerda el trayecto[11] que ha hecho esta misma mañana. Por un momento, se imagina la canción que ha escuchado hace unas

## Música en La Habana

En la capital cubana se puede encontrar una enorme variedad de ritmos y ambientes musicales. Hay cabarets donde disfrutar del folclore cubano, locales en los que escuchar *jazz* y son cubano y también ritmos más modernos, como el *hip hop*.

horas. Esa canción que entra cada noche por la ventana de su habitación del hotel. Esa canción que lo ha llevado hasta Ivet.

*Murmullo.*

Walter gira a la derecha. Sabe que el bar de Ivet está a unos metros de él, ¿está Ivet dentro del bar? Walter no ha preguntado a qué hora es el concierto. "¡Qué tonto!", piensa Walter. Quizás el bar está cerrado.

El cielo es de color azul oscuro. Algunas estrellas brillan[12]. La luna no aparece. Son las ocho y cinco minutos de la tarde. Es casi de noche en La Habana. Un estadounidense con una cámara fotográfica en sus manos está delante de la puerta de un bar.

Y, de repente, *Murmullo.*

Las mismas notas al piano de cada noche.

Walter abre la puerta. Las luces del bar son tenues[13]. Está lleno de gente. La camarera de cara divertida está sirviendo copas con prisa[14]. En el escenario, solo una luz, sobre el piano. Se enciende otra luz, que ilumina a la guitarrista. Guitarra y piano, una conversación músical. *Murmullo.*

Una nueva luz sobre el escenario. Una luz entre los dos músicos. Una luz sobre Ivet.

Ella, con su precioso vestido, con su bonita sonrisa, con su largo pelo suelto.

Walter no mueve ni un solo músculo de su cuerpo. Desde ese ángulo, tiene una perspectiva perfecta para una fotografía perfecta. Mueve lentamente su mano derecha, la que tiene la cámara. Mira por el objetivo.

Y, en ese momento, Ivet empieza a cantar.

*Hay un suave murmullo*
*En el silencio de una noche azul*
*Son dos enamorados*
*Que, encantados[15], gozan[16] del amor.*
*Y ríe la vida y que dice así: Ahh, ahh...*
*Y ríe la luna y que dice así: Uhmm, uhmm...*

Walter aparta la mirada[17] del objetivo de la cámara fotográfica. Mira a Ivet, cantando bajo la luz de ese foco, como una estrella de la música *soul*. En este momento, puede hacer la mejor foto de su viaje. Solo necesita mirar por la cámara fotográfica, encuadrar[18] y apretar[19] un botón. Solo eso.

Pero Walter no mueve ni un dedo. Lo único que puede hacer es mirar a Ivet. Contemplar ese recuerdo inolvidable.

**FIN**

# ACTIVIDADES
## CAPÍTULO 4

**1**

Escribe la continuación de la historia. Decide qué tiene que hacer Walter ahora.

----------------------------------------

----------------------------------------

**2**

¿Cuál de estas imágenes puede relacionarse con la canción que canta Ivet? Escribe las palabras que te han ayudado.

----------------------------------------

----------------------------------------

*Chan Chan* es otra canción famosa en el son cubano. Escucha la canción en internet y completa la letra con los siguientes verbos en la forma adecuada.

salir | tener | poder (3) | ir (6) | limpiar | ver | querer

De Alto Cedro_____para Marcané

Llego a Cueto,_____para Mayarí

De Alto Cedro_____para Marcané

Llego a Cueto,_____para Mayarí

De Alto Cedro_____para Marcané

Llego a Cueto,_____para Mayarí

El cariño que te_____

No te lo_____negar

Se me_____la babita

Yo no lo_____evitar

Cuando Juanica y Chan Chan

En el mar cernían arena

Como sacudía el jibe

A Chan Chan le daba pena

_____el camino de pajas

Que yo me_____sentar

En aquel tronco que_____

Y así no_____llegar.

# Una cápsula en el tiempo

## VIAJE AL PASADO

Caminar por La Habana es como viajar al pasado, a ese pasado de las películas en blanco y negro. Esto es gracias a sus edificios, sus calles y, sobre todo, al gran número de coches antiguos que circulan por ellas.

# APUNTES
## CULTURALES

Destacan los coches americanos, que están en la isla desde los años anteriores a la Revolución y que han soportado el tiempo mejor que los Lada, los coches de la antigua URSS.

Debido al bloqueo económico, los propietarios de estos coches (Ford, Chevrolet, Chrysler...) han tenido que usar de todo para arreglar sus averías, incluso piezas de camiones rusos.

Algunos propietarios de estos coches alquilan sus servicios a turistas por horas. Conducen coches americanos de los años 50 del siglo pasado en perfecto estado.

Los "almendrones" son los taxis colectivos que usan los cubanos. Son una alternativa más económica que el uso de otros taxis más modernos.

# GLOSARIO

## CAPÍTULO 1

| CASTELLANO | INGLÉS | FRANCÉS | ALEMÁN | NEERLANDÉS |
|---|---|---|---|---|
| 1. Piscina | Pool | Piscine | Swimmingpool | Zwembad |
| 2. Césped | Lawn | Pelouse | Rasen | Grasveld |
| 3. Desordenado/-a | Untidy | Désordonné/-e | unordentlich | Rommelig |
| 4. Vacío/-a | Empty | Vide | leer | Leeg |
| 5. Escenario | Scene | Scène | Szenario | Toneel |
| 6. Reportaje | Article | Reportage | Reportage | Reportage |
| 7. Crónica | Feature report | Chronique | Chronik | Artikel |
| 8. Entrevista | Interview | Interview | Interview | Interview |
| 9. Encabezar | Head | Mettre comme en-tête | als Aufmacher | Van een kop voorzien |
| 10. Esencia | Essence | Essence | eigentliche Wesen | Wezen, essentie |
| 11. Luchar | Struggle | Lutter | kämpfen | Vechten voor |
| 12. Aburrido/-a | Boring | Ennuyeux/-euse | langweilig | Saai |
| 13. Animar | Liven up | Animer | beleben | Opvrolijken |
| 14. Canción | Song | Chanson | Lied | Liedje |
| 15. Periodista | Journalist | Journaliste | Journalist | Journalist |
| 16. Arrugado/-a | Wadded up | Froissé-/e | zerknittert | Verkreukeld |
| 17. Deshecho/-a | Unmade | Défait/-e | ungemacht | Onopgemaakt |
| 18. Pelearse con sus fantasmas | Fight against (his) demons | Se bagarrer contre des fantômes | mit seinen Dämonen kämpfen | Worstelen met zijn spookbeelden |
| 19. Letra | Lyrics | Paroles | Text | Tekst |
| 20. Triste | Sad | Triste | traurig | Droevig |
| 21. Alegre | Happy | Joyeux/-euse | fröhlich | Vrolijk |

## CAPÍTULO 2

| CASTELLANO | INGLÉS | FRANCÉS | ALEMÁN | NEERLANDÉS |
|---|---|---|---|---|
| 1. Recorrido | Route | Parcours | Weg(strecke) | Route |
| 2. Avanzar | Go ahead | Avancer | weitergehen | Doorlopen |
| 3. Infancia | Childhood | Enfance | Kindheit | Kindertijd |
| 4. De otra época | From another time | D'une autre époque | aus einer anderen Zeit | Uit een ander tijdperk |
| 5. Detenerse | Stop | S'arrêter | anhalten | Blijven staan |
| 6. Soñador/-a | Dreamer | Rêveur/-euse | Träumer/-in | Dromer |
| 7. Paso | Step | Pas | Schritt | Stap |
| 8. Floreado/-a | Flowered | À fleurs | geblümt | Gebloemd |
| 9. Estrechar la mano | Shake someone's hand | Serrer la main | die Hand reichen | De hand drukken |
| 10. Atragantarse | Choke | S'étrangler | sich verschlucken | Zich verslikken |
| 11. Toser | Cough | Tousser | husten | Hoesten |
| 12. Sensación placentera | Pleasant feeling | Sensation agréable | angenehmes Gefühl | Aangenaam gevoel |
| 13. Contemplar | Look at | Contempler | anschauen | Aanschouwen |
| 14. Desear | Want | Désirer | wünschen | Willen, wensen |
| 15. Apasionante | Thrilling | Passionnant | mitreißend | Fascinerend |
| 16. De verdad | Real | Pour de vrai | wahr | Echte |
| 17. Bronceado/-a | Sun-tanned | Bronzé/-e | gebräunt | Bruin (van de zon) |
| 18. Revuelto/-a | Messy | Décoiffé/-e | zerzaust | Warrig |
| 19. Fino/-a | Smooth | Fin/-e | fein | Tenger |
| 20. Mente nublada | In a fog | Esprit troublé | benebelt (im Kopf) | Onhelder hoofd |

| CASTELLANO | INGLÉS | FRANCÉS | ALEMÁN | NEERLANDÉS |
|---|---|---|---|---|
| 1. Panteón | Mausoleum | Panthéon | Pantheon | Pantheon |
| 2. Eterno/-a | Eternal | Éternel/-elle | ewig | Eeuwigdurend |
| 3. Apoyarse | Lean on | S'appuyer | sich stützen auf | Steunen op |
| 4. Súbitamente | Suddenly | Soudainement | plötzlich | Plotseling |
| 5. Evocar | Call to mind | Évoquer | ins Gedächtnis rufen | Voor de geest roepen |
| 6. Dilema | Problem | Dilemme | Dilemma | Dilemma |
| 7. Dibujar | Recreate | Dessiner | zeichnen | Tekenen |
| 8. Alejarse | Distance (yourself) | S'éloigner | sich entfernen | Zich verwijderen |
| 9. Espectador/-a | Viewer | Spectateur/-trice | Zuschauer/-in | Toeschouwer |
| 10. Cinta | Ribbon | Ruban | Band | Lint |
| 11. Agradecer | Thank (someone) | Remercier | bedanken | Bedanken |
| 12. Guardar | Keep | Ranger | aufbewahren | Bewaren |
| 13. Rato | A little while | Instant | Weile | Poosje |
| 14. Rezar | Pray | Prier | beten | Bidden |
| 15. Perderse | Get lost | Se perdre | sich verlaufen | Verdwalen |
| 16. Loco/-a | Crazy | Fou / folle | verrückt | Krankzinnig |
| 17. Novela | Book | Roman | Roman | Roman |
| 18. Horizonte | (Into) the distance | Horizon | Horizont | Horizon |
| 19. Pensativo/-a | Thoughtful | Pensif/-ive | nachdenklich | Peinzend |
| 20. Preocupado/-a | Worried | Préoccupé/-e | besorgt | Bezorgd |
| 21. Travieso/-a | Mischievous | Espiègle | schelmisch | Ongedurig |
| 22. Capó | Hood | Capot | Motorhaube | Motorkap |

| CASTELLANO | INGLÉS | FRANCÉS | ALEMÁN | NEERLANDÉS |
|---|---|---|---|---|
| 1. Nombre propio | Proper names | Nom propre | Eigenname | Eigennaam |
| 2. Quitarse algo de la cabeza | Get out of (his/her) head | Enlever quelque chose de la tête | sich etwas aus dem Kopf schlagen | Uit zijn hoofd zetten |
| 3. Acordarse | Remember | Se souvenir | sich erinnern | Zich herinneren |
| 4. Peinado | Hairstyle | Coiffure | Frisur | Kapsel |
| 5. De pie | Standing | Debout | stehen | Staand |
| 6. Saludar | Wave (to her) | Saluer | grüßen | Begroeten |
| 7. Carrera | To hurry | Course | Lauf | Weg |
| 8. Arrancar | Start up | Démarrer | anfahren | Starten |
| 9. Detener | Stop | Arrêter | anhalten | Stoppen |
| 10. Aconsejar | Warn | Conseiller | (an)raten | Aanraden |
| 11. Trayecto | Route | Trajet | Strecke | Traject |
| 12. Brillar | Shine | Briller | leuchten | Schitteren |
| 13. Tenue | Dim | Ténu/-e | schummrig | Zwak |
| 14. Con prisa | In a hurry | Rapidement | hastig | Haastig |
| 15. Encantado/-a | Delighted | Enchanté/-e | verzaubert | Verrukt |
| 16. Gozar | Enjoy | Profiter | genießen | Genieten |
| 17. Apartar la mirada | Look away (from) | Détourner le regard | den Blick abwenden | De blik afwenden |
| 18. Encuadrar | Aim | Cadrer | einen Bildausschnitt wählen | Focussen |
| 19. Apretar | Press | Appuyer | drücken | Indrukken |

# La Habana
## LA CIUDAD

...................................... p. 12-13

## Havana
### THE CITY

It's the capital and the most important city in the Republic of Cuba. Havana has a valuable multicultural heritage: For centuries, people of mainly European and African origin have lived together there.

The historical centre of Havana (World Heritage site since 1982) is one of the most outstanding areas in Latin America, architecturally speaking. Castillo del Morro, Plaza de la Revolución, the Havana Cathedral, or El Malecón are some of the main tourist attractions.

Havana is, perhaps, Cuba's main tourist attraction. In 2015, over 1.6 million tourists visited the city, out of a total of 3.5 million foreigners who visited the country.

It's located in an exceptional place, looking out over the Caribbean Sea This is why it is one of the main ports of the Caribbean. For this same reason, many pirates have attacked the port of Havana over the course of its history.

Average temperatures in Havana range from 27 to 31°C. But the feeling of heat is greater because of the humidity. The hurricane season starts in September and lasts two months.

## La Havane
### LA VILLE

Capitale du pays, c'est aussi la ville la plus importante de la République de Cuba. La Havane possède un patrimoine multiculturel d'une grande valeur : des personnes d'origine européenne et africaine essentiellement y ont cohabité pendant des siècles.

Le centre historique de La Havane (Patrimoine de l'Humanité depuis 1982) est un des ensembles architecturaux les importants d'Amérique latine. Le château du Morro, La place de la Révolution, la cathédrale de La Havane ou le Malecón sont quelques-uns de ses principaux attraits touristiques.

La Havane est, peut-être, le plus grand attrait touristique de Cuba. En 2015, plus de 1,6 millions de touristes visitèrent la ville, sur les 3,5 millions d'étrangers qui ont visité le pays.

Elle se trouve à un endroit privilégié, face à la mer des Caraïbes. C'est pourquoi il s'agit de l'un des principaux ports des Caraïbes. C'est aussi pour cette raison que de nombreux pirates ont attaqué le port de La Havane au cours de l'histoire.

Les températures moyennes à La Havane vont de 27 à 31 degrés. Mais la sensation de chaleur est encore plus intense à cause de la forte humidité. La saison des cyclones commence en septembre et dure deux mois.

## Havana
### DIE STADT

Havanna ist die Hauptstadt und gleichzeitig die wichtigste Stadt Kubas. Sie besitzt ein wertvolles multikulturelles Erbe: hier haben Menschen vorwiegend europäischer und afrikanischer Herkunft jahrhundertelang miteinander gelebt.

Das historische Zentrum Havannas (Weltkulturerbe seit 1982) ist einer der bemerkenswertesten architektonischen Komplexe in Lateinamerika. Die Festung „Castillo del Morro", der Platz „Plaza de la Revolución", die Kathedrale von Havanna oder die Uferstraße „Malecón" gehören zu ihren wichtigsten touristischen Anziehungspunkten.

Vermutlich ist Havanna der größte touristische Anziehungspunkt Kubas überhaupt. Von den insgesamt 3,5 Mio. ausländischen Besuchern, die im Jahr 2015 ins Land strömten, besuchten mehr als 1,6 Mio. Touristen die Hauptstadt.

Sie liegt an einem bevorzugten Standort, direkt am Karibischen Meer. Daher besitzt sie einen der größten Häfen der Karibik. Dies ist auch der Grund, warum der Hafen von Havanna im Laufe der Geschichte von vielen Piraten angegriffen wurde.
Die durchschnittlichen Temperaturen in Havanna betragen 27°C bis 31°C. Aufgrund der hohen Luftfeuchtigkeit jedoch ist die gefühlte Hitze weitaus größer. Die Zeit der Wirbelstürme beginnt im September und dauert zwei Monate.

## Havana
### DE STAD

Havana is de hoofdstad en tevens belangrijkste stad van Cuba. Havana heeft een waardevol multicultureel erfgoed: eeuwenlang hebben er hoofdzakelijk uit Europa en Afrika afkomstige mensen samengeleefd.

De historische binnenstad van Havana (werelderfgoed sinds 1982) is een van de opvallendste architectonische monumenten van Latijns-Amerika. Het Castillo del Morro, de Plaza de la Revolución, de Kathedraal van Havana en de Malecón zijn de belangrijkste toeristische trekpleisters.

Havana is misschien wel de voornaamste toeristische trekpleister van Cuba. In 2015 bezochten meer dan 1,6 miljoen toeristen de stad, van de in totaal 3,5 miljoen buitenlanders die een bezoek aan het land brachten.

De stad bevindt zich op een bevoorrechte plek direct aan de Caribische Zee. Daarom is Havana een van de belangrijkste havens van de Cariben. Om dezelfde reden hebben in de loop van de geschiedenis talrijke piraten de haven van Havana aangevallen.

De gemiddelde temperatuur van Havana ligt tussen de 27 en 31 graden Celsius, maar de gevoelstemperatuur is hoger door de hoge vochtigheid. Het cycloonseizoen begint in september en duurt twee maanden.

## Buena Vista Social Club
## LA MÚSICA CUBANA
................................... **p. 24-25**

### Buena Vista Social Club
### CUBAN MUSIC

This is the name of a very important social club in Havana during the 1930's and the 1950's, which were known as the golden age of Cuban music.

During those years, all of the great musicians of traditional Cuban music performed on the stage of the Buena Vista Social Club. The club's success ended with the Cuban Socialist Revolution. At that time, many exclusive, luxurious places like the Buena Vista Social Club had to close their doors.

In the 90's, the guitar player Ry Cooder started the project of bringing together the musicians of the Buena Vista Social Club, one of whom was Compay Segundo.

This project became the album *Buena Vista Social Club*. The album came out in 1997 and at the end of 1998 it had already sold over 8 million copies all over the world.

Thanks to the success of this project, some of the musicians from the Buena Vista Social Club have continued to record albums, such as Omara Portuondo, who won a Grammy in 2009 for the Best Contemporary Tropical Album.

### Buena Vista Social Club
### LA MUSIQUE CUBAINE

C'est le nom d'un club social très important à La Havane dans les années du dénommé « Âge d'or de la musique cubaine », entre 1930 et 1950.

Au cours de ces années-là, tous les grands artistes de la musique cubaine traditionnelle se produisent sur la scène du Buena Vista Social Club. Le succès du club s'achève lors de la révolution socialiste cubaine. À ce moment-là, beaucoup d'endroits sélects et luxueux, comme le Buena Vista Social Club, doivent fermer leurs portes.

Dans les années 90, le guitariste Ry Cooder entreprend le projet de réunir les musiciens du Buena Vista Social Club, parmi lesquels se trouve Compay Segundo.

Ce projet devient le disque *Buena Vista Social Club*. L'album est publié en 1997 et, fin 98, plus de 8 millions d'exemplaires avaient été vendus dans le monde entier.

Grâce au succès de ce projet, certains des musiciens du Buena Vista Social Club ont continué à enregistrer des disques, comme Omara Portuondo qui remporte, en 2009, un Grammy au Meilleur Album Tropical Contemporain.

## Buena Vista Social Club
## DIE KUBANISCHE MUSIK

Dies ist der Name eines sehr bekannten Clubs des Havannas der 1930er- bis 1950er-Jahre, des sogenannten „goldenen Zeitalters der kubanischen Musik".

In jenen Jahren traten alle großen Künstler der traditionellen kubanischen Musik auf der Bühne des Buena Vista Social Club auf. Der Erfolg des Clubs fand mit der kubanischen Revolution ein Ende. Zu jener Zeit mussten viele exklusive Luxuslokale wie der Buena Vista Social Club ihre Türen schließen.

In den 90er-Jahren begann der Gitarrist Ry Cooder, die einstigen Musiker des Buena Vista Social Club, unter ihnen auch Compay Segundo, wieder zusammenzubringen.

Aus diesem Projekt entstand die Schallplatte *Buena Vista Social Club*. Das Album wurde 1997 veröffentlicht und war Ende 1998 bereits 8 Millionen Mal weltweit verkauft worden.

Gestützt auf den Erfolg dieses Projekts, nahmen einige der Musiker des Buena Vista Social Club auch weiterhin Platten auf, wie Omara Portuondo, die im Jahr 2009 einen Grammy für das beste zeitgenössische tropische Album gewann.

## Buena Vista Social Club
## DE CUBAANSE MUZIEK

Dit is de naam van een club in Havana die tijdens de zogenaamde "Gouden tijd voor de Cubaanse muziek", in de jaren 30 tot 50, heel belangrijk was.

In die jaren stonden alle grote artiesten van de traditionele Cubaanse muziek op het podium van de Buena Vista Social Club. Het succes van de club eindigde met de Cubaanse socialistische revolutie. Op dat moment moesten veel exclusieve en luxueuze plaatsen zoals de Buena Vista Social Club hun deuren sluiten.

In de jaren 90 begon de gitarist Ry Cooder dit project en bracht de muzikanten van de Buena Vista Social Club, waaronder Compay Segundo, bijeen.

Het project heeft geleid tot het album *Buena Vista Social Club*, dat in 1997 werd gepubliceerd. Aan het eind van 1998 waren er al 8 miljoen exemplaren overal ter wereld verkocht.

Dankzij het succes van dit project zijn sommige muzikanten van de Buena Vista Social Club doorgegaan met het opnemen van albums, zoals Omara Portuodo, die in 2009 een Grammy heeft gewonnen voor het Beste album moderne tropische muziek.

## ¿Dónde comemos?
## OPCIONES DELICIOSAS
................................... **p. 36-37**

### Where should we eat?
### DELICIOUS CHOICES

Of course the city is full of restaurants where you can eat typical Cuban food, but there are also other options.

One of the best choices for eating in Havana is called *paladares*. These are little "restaurants" located in private homes. Many Cubans offer a place at their table for less money than classic restaurants. The range of dishes offered in *paladares* change according to the time of year, like it does in our own homes.

Typical Cuban food is called *Creole*, and it's a mixture of Spanish and African food. It's normal to find rice, beans, pork, and yucca in Cuban cooking.

Havana is full of little pizzerias, many of them being *paladares*. There are all sorts of pizzas, one of the best ways of eating cheaply in the city.

*Agros* are neighbourhood markets. Some are located in old architectural gems.
In *agros* one can buy fruit and vegetables to cook where you are staying.

### Où manger ?
### DE DÉLICIEUSES POSSIBILITÉS

La ville est évidemment remplie de restaurants où vous pouvez trouver la nourriture typique de Cuba mais il y a d'autres possibilités.

Les *paladares* sont un des meilleurs endroits pour manger à La Havane. Il s'agit de petits « restaurants » situés chez des particuliers. Beaucoup de Cubains proposent une place à leur table pour moins d'argent que les restaurants classiques. L'offre de plats varie dans les *paladares* selon l'époque de l'année, tout comme chez nous.

La nourriture typique de Cuba est appelée *criolla* et c'est un mélange de cuisine espagnole et africaine. Dans la gastronomie cubaine, il est habituel de trouver du riz, des haricots secs, de la viande de porc et du yucca.

La Havane est pleine de petites pizzerias, dont beaucoup sont des *paladares*. Il existe une offre énorme de pizzas, une des meilleures façons de manger pour peu d'argent dans la ville.

Les « agros » sont les marchés de quartier. Certains sont situés dans d'anciens joyaux architecturaux.
Dans les *agros*, vous pouvez acheter des fruits, des légumes et des crudités pour les cuisiner ensuite à l'endroit où vous résidez.

## Wo kann man essen?
### KÖSTLICHE AUSWAHL

Die Stadt ist selbstverständlich voll von Restaurants, die typische kubanische Küche anbieten, doch es gibt auch andere Optionen.

Eines der besten gastronomischen Angebote sind die sogenannten „Paladares". Es handelt sich um kleine in Privatwohnungen untergebrachte Speiselokale. Viele Kubaner bieten für weniger Geld, als in den klassischen Restaurants verlangt wird, einen Platz an ihrem Esstisch an. Das Speisenangebot in diesen Paladares ändert sich je nach Jahreszeit, ebenso wie es auch in Privathaushalten der Fall ist.

Das typische kubanische Gericht heißt „Criolla", eine Mischung aus spanischer und afrikanischer Küche. In der kubanischen Gastronomie trifft man üblicherweise Reis, Bohnen, Schweinefleisch und Maniokwurzeln an.

Havanna ist gespickt mit kleinen Pizzerien, von denen es sich bei den meisten um Paladares handelt. Das Pizzaangebot ist enorm und stellt eine der besten Möglichkeiten dar, preisgünstig in der Stadt zu essen.

Die „Agros" sind die Stadtteilmärkte. Einige von ihnen sind in alten architektonischen Schmuckstücken untergebracht. In den „Agros" gibt es Obst und Gemüse zu kaufen, das man zu Hause selbst verarbeiten kann.

## Waar eten we?
### OVERHEERLIJKE MOGELIJKHEDEN

Uiteraard heeft de stad een groot aanbod aan restaurants waar je typisch Cubaans eten kunt vinden, maar er zijn ook andere mogelijkheden.

Een van de beste plekken om iets in Havana te eten is een *paladar*. Het gaat om kleine 'restaurants' bij particulieren thuis. Veel Cubanen bieden een plek aan tafel aan voor minder geld dan de klassieke restaurants. De aangeboden gerechten variëren in de *paladares* op grond van het jaargetijde, net als bij ons thuis.

Het typische eten van Cuba wordt creools genoemd en is een combinatie van de Spaanse en Afrikaanse keuken. In de Cubaanse gastronomie treft men gewoonlijk rijst, bonen, varkensvlees en yuca (maniok) aan.

Havana beschikt over talrijke kleine pizzeria's, waarvan vele *paladares* zijn. Er is een enorm aanbod van pizza's, een van de beste manieren om goedkoop te eten in de stad.

De *agros* zijn buurtmarkten. Sommige bevinden zich in ware oude architectonische juwelen. In de agros kan men fruit en groente kopen om zelf te bereiden.

## Una cápsula en el tiempo
## VIAJE AL PASADO
............................... **p. 48-49**

### A time capsule
### TIME-TRAVELLING

Walking in Havana is like travelling back in time, to the past of black-and-white films. This is thanks to its buildings, its streets, and especially to the large number of old cars driving down the streets.

American cars stand out, which have been on the island since the years before the Revolution, and which have stood the test of time better than Ladas, the cars from the former USSR.

Due to the economic embargo, the owners of these cars (Ford, Chevrolet, Chrysler...) have had to use all sorts of things to fix their cars, including parts from Russian trucks.

Some owners of these cars rent their services to tourists by the hour. They drive American cars from the 50's in perfect condition.

*Almendrones* are the group taxis that Cubans use. They are cheaper than using other, more modern taxis.

### Une capsule temporelle
### VOYAGE VERS LE PASSÉ

Marcher dans La Havane, c'est comme voyager vers le passé, au passé des films en noir et blanc. Ceci est dû à ses édifices, à ses rues et, surtout, au grand nombre de voitures anciennes qui y circulent.

Nous y trouvons surtout des voitures américaines, qui sont sur l'île depuis les années antérieures à la révolution et qui ont mieux supporté le passage du temps que les Lada, les automobiles de l'ancienne URSS.

À cause de l'embargo, les propriétaires de ces voitures (Ford, Chevrolet, Chrysler...) ont dû utiliser un peu de tout pour réparer les pannes, même des pièces de camions russes.

Certains propriétaires de ces automobiles louent leurs services aux touristes par heures. Ils conduisent des voitures américaines des années 50 en parfait état.

Les « almendrones » sont les taxis collectifs que les Cubains utilisent. Il s'agit d'une alternative plus économique que les autres taxis plus modernes.

## Eine Zeitkapsel
### REISE IN DIE VERGANGENHEIT

Ein Spaziergang durch Havanna ist wie eine Reise in die Vergangenheit, eine Reise zurück zu den Zeiten der Schwarz-Weiß-Filme. Diesen Eindruck erwecken die Gebäude der Stadt, ihre Straßen und vor allem die große Zahl an Oldtimern, die auf ihnen verkehren.

Besonders stechen dort die amerikanischen Autos hervor, die sich bereits seit den Jahren vor der Revolution auf der Insel befinden und die Zeit besser überstanden haben als die Lada, die Autos der ehemaligen UdSSR.

Aufgrund der Wirtschaftsblockade haben die Halter dieser Fahrzeuge (Ford, Chevrolet, Chrysler...) auf alle verfügbaren Mittel zugreifen müssen, um notwendige Reparaturen durchzuführen, sogar auf Bauteile von russischen Lkws.

Einige Autobesitzer bieten ihre Fahrdienste stundenweise für Touristen an. Sie fahren amerikanische Autos aus den 50er-Jahren, die sich noch in einem einwandfreien Zustand befinden.

„Almendrones" nennen sich die von den Kubanern genutzten Sammeltaxis. Sie stellen eine preisgünstige Alternative zu den anderen, moderneren Taxis dar.

## Een tijdscapsule
### REIS NAAR HET VERLEDEN

Een wandeling door Havana is als een reis naar het verleden, naar de tijd van de zwartwitfilms. Dat komt door de gebouwen, straten en, vooral, door het grote aantal oude auto's dat hier rijdt.

Opvallend zijn de Amerikaanse wagens die al sinds voor de Revolutie op het eiland rijden en de tijd beter hebben doorstaan dan de Lada's, de uit de voormalige Sovjet-Unie afkomstige auto's.

Door de economische blokkade moesten de eigenaars van deze auto's (Ford, Chevrolet, Chrysler...) van alles gebruiken om de defecten te repareren, zelfs onderdelen van Russische vrachtwagens.

Sommige eigenaars verhuren hun auto's per uur aan toeristen. Zij besturen Amerikaanse auto's uit de vijftiger jaren die nog in uitstekende staat verkeren.

De *almendrones* zijn collectieve taxi's die door de Cubanen worden gebruikt. Ze zijn een goedkoper alternatief voor de andere modernere taxi's.

# ¡Comparte tus fotos y vídeos de la ciudad!

# #undiaenlahabana

## ¿Quieres leer más?